[개정판]
2019 개정 누리과정에 맞춘 유아 동시집
(동시계획안 수록)

[개정판] 2019 개정 누리과정에 맞춘 유아 동시집(동시계획안 수록)

발 행 | 2021년 5월 26일
저 자 | 추수진
펴낸이 | 한건희
펴낸곳 | 주식회사 부크크
출판사등록 | 2014.07.15.(제2014-16호)
주 소 | 서울특별시 금천구 가산디지털1로 119 SK트윈타워 A동 305호
전 화 | 1670 - 8316
이메일 | info@bookk.co.kr

ISBN | 979-11-372-4611-9

www.bookk.co.kr

[개정판]
2019

개정누리과정에

맞춘 유아 동시집

추수진 지음

목 차

〈머리말〉

　동시를 아껴주시고 사랑해주시는 독자 여러분들 모두 감사합니다.

　2019년도에 누리과정이 개정되어 기존의 동시집을 개정판으로 출간하게 되었습니다. 동시와 도입-전개-마무리 활동은 개정판 이전과 같습니다. 개정판에는 누리과정 관련 요소가 변경되었으며, 놀이 지원 방법을 추가하여 개정하게 되었습니다.

　유아 교육기관의 선생님, 대학에서 공부하는 예비교사, 가정의 부모님께서 유아기의 아이들과 함께 읽고 활용할 수 있도록 하였습니다. 활동 방법을 수록하여 교육적으로도 의미 있는 도서가 될 것입니다. 활동계획안은 참고용이므로 유아의 흥미와 놀이 주제에 맞추어 얼마든지 확장하거나 수정하여 활용할 수 있습니다.

　유아 교육기관에서는 연간주제 및 유아가 흥미 있어 하는 주제로 자유롭게 활용하고, 가정에서는 목차를 보며 선택하여 활용하셔도 좋습니다.

　가정에서 활용할 때에는 도입-전개-마무리의 내용을 그대로 하지 않고, 선택하여 사용하셔도 좋습니다.

〈참고문헌〉
교육부(2019). 2019 유치원 교육과정. 교육부 고시 제 2019-189호.

저자소개

세종대학교 교육대학원 유아교육전공 석사
건국대학교 일반대학원 교육학과 유아교육전공
박사과정 수료

현) 수원여자대학교 아동보육과 전임교수

저서)
생각이 자라고 마음이 예뻐지는 동시
사랑하며 성장하는 친구들(유아를 위한 인성 동시)
표준보육과정에 맞춘 호기심이 자라는 영아를 위한
동시
[유아동시집] 상상나라로의 여행
자녀와 함께 읽는 동시
누리과정에 맞춘 유아 동시집
만 2세 영아를 위한 동시집

우리 원에 왔어요

우리 반에 처음 온 날

우리 반에 처음 온 날
교실 문을 열기 전에
설레는 마음으로 내 마음이 두근두근

교실 문 안으로 보이는 선생님의 환한 미소
친구들의 재잘재잘 이야기 소리

우리 반에 처음 온 날
즐겁고 신나는 일이 일어날 것 같은 오늘

주제	우리 원에 왔어요
활동명	우리 반에 처음 온 날 (동시)
활동목표	우리 반에 처음 온 날의 느낌을 말한다. 동시의 내용을 이해한다.
누리과정 관련요소	의사소통)듣기와 말하기)자신의 경험, 느낌, 생각을 말한다. 의사소통)책과 이야기 즐기기)동화, 동시에 서 말의 재미를 느낀다.
활동자료	동시판(동시의 내용을 적은 것), 모양 종이
도입	1. 우리 반에 처음 온 날 느낌을 떠올리며 이야기 나눈다. - 우리 반에 처음 들어오기 전 어떤 느낌 이 들었나요? - 우리 반에 처음 왔을 때 기분이 어땠나 요?
전개	1. 동시를 소개한다. - 동시를 지은이는 누구일까요? - 제목을 읽어볼까요? 2. 동시를 들려준다. (연 또는 행을 번갈아 가며 읽는다.) 3. 동시를 듣고 난 후의 느낌을 이야기 나눈다. - 동시를 듣고 난 후의 느낌이 어때요? - 동시의 내용과 우리 반에 처음 온 날의 기분 또는 느낌이 비슷한가요? - 어떤 점이 비슷한가요?

	– 내가 느낀 점과 다른 것은 무엇인가요?
	4. 가장 기억에 남는 시어를 따라 쓴다.
	– 어떤 시어가 가장 기억에 남았나요?
마무리	1. 활동을 평가하고 마무리한다.
	– 활동하기 어려운 부분이 있었나요?
	– 가장 좋았던 점은 무엇인가요?

〈놀이 지원〉

– 유아가 관심 있어 하는 내용으로 상호작용 또는
  놀이를 지원한다.
– 하루 동안 우리 반에서 지내면서 가장 즐거웠던
  놀이에 관해 이야기 나눈다.
– 꼭 하고 싶은 놀이가 있는지 상호작용한다.
  교사는 유아가 하고 싶은 놀이의 재료를 준비하여
  다음날 놀이가 가능할 수 있게 한다.

내 짝꿍

우리 반에서 만난 내 짝꿍
나와 닮은 점이 많은 내 짝꿍

산책하러 갈 때 두 손 꼭 잡고
발맞추어 걸어주는 내 짝꿍

어딜 가든 함께하는
그림자를 닮은 내 짝꿍

주제	우리 원에 왔어요
활동명	내 짝꿍 (동시)
활동목표	친구의 소중함을 안다. 동시를 듣고 난 후 자신의 생각을 표현한다.
누리과정 관련요소	사회관계)더불어 생활하기)친구와 서로 도우며 사이좋게 지낸다. 의사소통)듣기와 말하기)자신의 경험, 느낌, 생각을 말한다. 의사소통)책과 이야기 즐기기)동화, 동시에서 말의 재미를 느낀다.
활동자료	동시판(동시의 내용을 적은 것)
도입	1. 내 짝꿍에 관해 이야기 나눈다. - 짝꿍의 이름은 무엇인가요? - 짝꿍과 무엇을 함께 하면 즐거운가요? - 짝꿍의 어떤 점이 좋은가요?
전개	1. 동시를 소개한다. - 동시를 지은이는 누구일까요? - 제목을 읽어볼까요? 2. 동시를 들려준다. (연 또는 행을 번갈아 가며 읽는다.) 3. 동시를 듣고 난 후에 이야기를 나눈다. - 가장 기억에 남는 시어는 무엇인가요? - 왜 가장 기억에 남았나요? - 내 짝꿍은 나와 언제 함께 하나요? - 짝꿍과 내가 닮은 점은 무엇인가요? 4. 내 짝꿍 대신 친구 이름을 넣어 동시를

	재구성한다.
	- 내 짝꿍 시어를 친구의 이름으로 넣어서 읽어볼까요?
마무리	1. 활동을 평가하고 마무리한다.
	- 친구의 이름을 넣어 시어를 바꾸어 본 느낌이 어때요?
	- 활동하면서 재미있었던 점은 무엇인가요?

〈놀이 지원〉

- 유아가 관심 있어 하는 내용으로 상호작용 또는 놀이를 지원한다.
- 짝꿍과 하고 싶은 놀이 영역으로 이동하여 놀이한다.
- 짝꿍과 놀이를 마치고 난 이후에 기분에 관해 이야기한다.

우리 교실 물건

우리 교실에 있는
재미있는 물건들

온 세상을 파랗게
비추어주는 색깔 안경

조그만 씨앗을 커다랗게
보여주는 돋보기

재미있는 물건과 함께하니
내 마음도 즐거워

주제	우리 원에 왔어요
활동명	우리 교실 물건 (동시)
활동목표	우리 교실의 있는 물건 이름을 말한다. 동시의 내용을 그림과 글로 표현할 수 있다.
누리과정 관련요소	의사소통〉듣기와 말하기〉자신의 경험, 느낌, 생각을 말한다. 의사소통〉읽기와 쓰기에 관심 가지기〉자신의 생각을 글자와 비슷한 형태로 표현한다. 의사소통〉책과 이야기 즐기기〉동화, 동시에서 말의 재미를 느낀다.
활동자료	동시판(동시의 내용을 적은 것), 쓰기 도구, 도화지
도입	1. 우리 교실에 있는 다양한 물건 이름에 관해 이야기 나눈다. - 우리 교실에는 어떤 물건이 있나요? - 어떤 물건을 사용해 보았나요?
전개	1. 동시를 소개한다. - 동시를 지은이는 누구일까요? - 제목을 읽어볼까요? 2. 동시를 들려준다. (연 또는 행을 번갈아 가며 읽는다.) 3. 동시를 듣고 난 후에 이야기를 나눈다. - 동시 속에 나온 물건이 우리 교실에도 있나요? - 어떤 놀이 영역에 있나요?

	- 우리 교실에는 어떤 재미있는 물건이 있나요?
	4. 동시에 나온 물건을 그림 또는 글로 표현한다.
	- 동시에 나온 물건을 그림으로 그려 볼까요?
	- 글씨로 쓸 수 있나요?
마무리	1. 활동을 평가하고 마무리한다.
	- 쓰기 어려운 글자가 있었나요?
	- 그림으로 표현하니 어떤가요?

〈놀이 지원〉

- 유아가 관심 있어 하는 내용으로 상호작용 또는 놀이를 지원한다.
- 교실에 있는 다양한 물건을 탐색한다.
  (재질, 물건 크기, 모양 등을 비교하며 놀이한다.)
- 특별히 관심을 보이는 물건이 있다면 다양한 방법으로 활용할 수 있도록 지원한다.
- 다양한 재료를 통해 다른 놀이로 확장하거나 주제를 바꾸어 놀이하는 것도 허용한다.

따

듯

한

봄

봄나들이

따듯한 봄
분홍, 빨강, 하얗게
예쁜 옷으로 갈아입은 봄

꽃비 맞으며 친구와 함께
걷는 산책길 나들이

나를 향해 비추는 햇살 안고
걷는 봄나들이

주제	따듯한 봄
활동명	봄나들이 (동시)
활동목표	봄나들이에 관한 경험을 말한다. 동시의 내용을 이해하며 읽는다.
누리과정 관련요소	의사소통〉듣기와 말하기〉자신의 경험, 느낌, 생각을 말한다. 의사소통〉책과 이야기 즐기기〉동화, 동시에 서 말의 재미를 느낀다.
활동자료	동시판(동시의 내용을 적은 것)
도입	1. 봄나들이 다녀온 경험에 관해 이야기 나 눈다. - 봄나들이 다녀온 경험이 있나요? - 어떤 곳을 가보았나요? - 누구와 함께 갔었나요? - 그곳에서 무엇을 보았나요?
전개	1. 동시를 들려준다. 2. 동시의 제목을 유추한다. - 동시를 듣고 나니 어떤 느낌이 들었나 요? - 동시의 제목은 무엇일까요? - 내가 작가라면 어떤 제목으로 지었을 것 같나요? 3. 동시를 소개한다. - 동시를 지은이는 누구일까요? - 제목을 읽어볼까요? 4. 우리 반에서 산책하러 갔을 때 본 것에

	관해 이야기 나눈다.
	– 산책하러 갔을 때 무엇을 보았나요?
	– 어떤 꽃을 보았나요?
	– 꽃의 색은 어땠나요?
마무리	1. 활동을 평가하고 마무리한다.
	– 동시를 감상하고 나니 어떤 느낌이 들었나요?

〈놀이 지원〉

– 유아가 관심 있어 하는 내용으로 상호작용 또는 놀이를 지원한다.
– 위에 활동을 통해 봄꽃 활동에 관심을 가지고 있다면 손도장을 찍어 봄꽃을 표현하는 활동, 봄꽃 그리기 활동, 꽃 종이접기 활동 등이 가능하다.
– 교사는 다양한 미술 재료를 준비하여 놀이 활동이 가능하게 한다.
– 다양한 재료를 통해 다른 놀이로 확장하거나 주제를 바꾸어 놀이하는 것도 허용한다.

나비야

꽃향기를 찾아 왔니?
쉴 곳을 찾아 왔니?

이리저리 빙그르르
이리저리 빙그르르

예쁜 날갯짓을 하며
봄을 찾아온 나비

주제	따듯한 봄
활동명	나비야 (동시)
활동목표	동시를 감상한 후의 느낌에 관해 말한다. 나비를 동작으로 표현한다.
누리과정 관련요소	의사소통>듣기와 말하기>자신의 경험, 느낌, 생각을 말한다. 신체운동·건강>신체활동 즐기기>실내외 신체 활동에 자발적으로 참여한다.
활동자료	동시판(동시의 내용을 적은 것), 나비 사진
도입	1. 나비를 본 경험에 관해 이야기 나눈다. - 나비를 본 적이 있나요? - 어떤 색의 나비를 보았나요? - 어떤 무늬의 나비를 보았나요?
전개	1. 동시를 들려준다. 2. 동시의 제목을 유추한다. - 동시를 듣고 나니 어떤 느낌이 들었나 요? - 동시의 제목은 무엇일까요? - 내가 작가라면 어떤 제목으로 지었을 것 같나요? 3. 동시를 소개한다. - 동시를 지은이는 누구일까요? - 제목을 읽어볼까요? 4. 동시를 감상한 후에 느낌에 관해 이야기 나눈다. - 동시를 읽고 난 후 어떤 느낌이 들었나

	요?
	5. 나비의 모습을 동작으로 표현한다.
	– 나비의 모습을 어떻게 표현해 볼까요?
마무리	1. 활동을 평가하고 마무리한다.
	– 활동하면서 재미있었던 점은 무엇인가요?
	– 활동하면서 더 알고 싶은 것은 무엇인가요?

〈놀이 지원〉

- 유아가 관심 있어 하는 내용으로 상호작용 또는 놀이를 지원한다.
- 나비를 다양한 재료를 가지고 표현하고 싶어 하면 스카프, 나비 날개 등을 준비하여 지원한다.
- 미술 활동 등에 관심을 보이면 알맞은 재료를 준비하여 활동하게 한다.
- 재료를 통해 놀이를 확장하거나 놀이 주제를 바꾸는 것도 허용한다.

봄비

봄날을 재촉하는 봄비가
땅을 촉촉이 적시면

새싹이 봄비를 맞으려
고개를 내밀고

봄비는 기분이 좋아
온종일 새싹을 위해 연주하네!

주제	따듯한 봄
활동명	봄비 (동시)
활동목표	봄의 계절적 특징을 이해하며 동시를 감상한다. 봄비의 소리를 말과 동작으로 표현한다.
누리과정 관련요소	의사소통〉듣기와 말하기〉자신의 경험, 느낌, 생각을 말한다. 신체운동·건강〉신체활동 즐기기〉실내외 신체활동에 자발적으로 참여한다.
활동자료	동시판(동시의 내용을 적은 것), 봄비 녹음 소리, CD재생기
도입	1. 봄 날씨에 관해 이야기 나눈다. - 오늘 날씨는 어때요?
전개	1. 동시를 들려준다. 2. 동시의 제목을 유추한다. - 동시를 듣고 나니 어떤 느낌이 들었나요? - 동시의 제목은 무엇일까요? - 내가 작가라면 어떤 제목으로 지었을 것 같나요? 3. 동시를 소개한다. - 동시를 지은이는 누구일까요? - 제목을 읽어볼까요? 4. 동시를 감상한 후에 느낌에 관해 이야기 나눈다. - 동시를 읽고 난 후 어떤 느낌이 들었나

	요?
	5. 봄의 빗소리를 언어와 동작으로 표현한다.
	– 봄의 빗소리로 말로 표현해 볼까요?
	– 봄의 빗소리를 동작으로 표현해 볼까요?
마무리	1. 활동을 평가하고 마무리한다.
	– 활동하면서 재미있었던 점은 무엇인가요?
	– 활동하면서 어려운 점이 있었나요?

〈놀이 지원〉

– 유아가 관심 있어 하는 내용으로 상호작용 또는 놀이를 지원한다.
– 빗소리를 표현하는 것에 흥미가 있다면, 곡식 등 소리 표현이 가능한 재료를 준비하여 빗소리를 만들어 볼 수 있게 지원한다.

나와 가족

우리 가족

사랑하는 우리 엄마
사랑하는 우리 아빠

우리 집에는 항상
웃음꽃이 넘쳐요

즐거움과 사랑이 넘치는
우리 가족이 난 참 좋아요

주제	나와 가족
활동명	우리 가족 (동시)
활동목표	동시의 내용을 이해하며 읽는다. 사랑의 마음을 전하는 방법에 관해 말한다.
누리과정 관련요소	의사소통〉듣기와 말하기〉자신의 경험, 느낌, 생각을 말한다. 의사소통〉책과 이야기 즐기기〉동화, 동시에 서 말의 재미를 느낀다.
활동자료	동시판(동시의 내용을 적은 것)
도입	1. 우리 가족 구성원을 떠올리며 이야기 나 눈다. - 우리 가족이 누구인지 말해보세요. - 우리 가족은 어떻게 지내고 있나요?
전개	1. 동시를 소개한다. - 동시를 지은이는 누구일까요? - 제목을 읽어볼까요? 2. 동시를 들려준다. (연 또는 행을 번갈아 가며 읽는다.) 3. 동시를 듣고 난 후에 이야기를 나눈다. - 엄마, 아빠께 어떠한 마음을 가지고 있 나요? - 가족을 사랑하는 마음을 가지고 있나요? 4. 집에 가서 가족에게 사랑의 말 또는 행 동으로 보여 주기로 약속한다. - 오늘 집에 가면 가족에게 어떤 말을 하 면 기뻐하실까요?

	– 사랑의 표현을 어떻게 행동으로 표현할 수 있을까요?
마무리	1. 활동을 평가하고 마무리한다. – 오늘 한 약속을 잘 지킬 수 있나요? – 우리가 정한 약속을 잘 지켰는지 다음번에 이야기 나누어 보기로 해요.

〈놀이 지원〉

– 유아가 관심 있어 하는 내용으로 상호작용 또는 놀이를 지원한다.
– 카네이션을 만들 수 있는 재료를 준비하여 어버이날 달아드릴 수 있도록 하는 것도 좋다.

소중한 나

예쁜 손
튼튼한 다리
건강한 나의 몸

우는 동생 달래주고
심부름도 잘하는
좋은 점이 많은 나

나는 참 소중해요
나 자신을 칭찬하고
나 자신을 사랑해요

주제	나와 가족
활동명	소중한 나 (동시)
활동목표	나를 소중히 여긴다.
	동시를 감상하며 나의 장점에 관해 말한다.
누리과정 관련요소	사회관계〉나를 알고 존중하기〉나를 알고 소중히 여긴다.
	의사소통〉듣기와 말하기〉자신의 경험, 느낌, 생각을 말한다.
활동자료	동시판(동시의 내용을 적은 것)
도입	1. 내 신체 부위에 관해 이야기 나눈다.
	- 내 얼굴에는 무엇이 있나요?
	- 내 몸에는 무엇이 있나요?
	- 각 기관은 어떤 역할을 하나요?
전개	1. 동시를 소개한다.
	- 동시를 지은이는 누구일까요?
	- 제목을 읽어볼까요?
	2. 동시를 들려준다.
	(연 또는 행을 번갈아 가며 읽는다.)
	3. 동시를 듣고 난 후에 이야기를 나눈다.
	- 동시를 듣고 나니 어떤 느낌이 들었나요?
	- 내가 잘하는 것에 관해 말해 볼까요?
	- 나는 나 자신을 어떻게 여겨야 할까요?
	4. 친구에게 칭찬의 말을 한다.
	- 친구가 잘하는 것에 관해 칭찬해 볼까

	요?
	- 친구에게 너는 소중해, 라고 말해 볼까요?
	- 친구의 말을 들으니 기분이 어때요?
마무리	1. 활동을 평가하고 마무리한다.
	- 나를 소중하게 여기게 되었나요?
	- 친구가 소중하다는 것도 알게 되었나요?

〈놀이 지원〉

- 유아가 관심 있어 하는 내용으로 상호작용 또는 놀이를 지원한다.
- 나의 손에 관심이 생겼다면 지문을 관찰하는 활동 및 스탬프를 활용하여 손도장을 찍어볼 수 있도록 재료를 준비한다.
  (하트모양, 얼굴 모양 등을 만드는 다양한 미술 활동 연계 가능)
- 친구의 기분도 소중하기에 내 놀이나 활동이 친구의 기분을 상하지 않도록 약속이나 규칙을 친구와 함께 정할 수 있게 한다.

내 마음

오늘 내 마음은
햇빛이 비치는 날

오늘 내 마음은
비가 내리는 날

오늘 내 마음은
천둥이 치는 날

날씨를 닮은 내 마음
매일 소중한 내 마음

주제	나와 가족
활동명	내 마음 (동시)
활동목표	내 감정과 기분을 안다. 동시를 감상하며 나의 기분을 날씨로 표현한다.
누리과정 관련요소	사회관계〉나를 알고 존중하기〉나의 감정을 알고 상황에 맞게 표현한다. 의사소통〉듣기와 말하기〉자신의 경험, 느낌, 생각을 말한다.
활동자료	동시판(동시의 내용을 적은 것)
도입	1. 오늘 기분에 관해 이야기 나눈다. – 오늘 기분이 어때요? – 왜 그런 기분이 들었나요? – 친구 기분은 어때요? – 친구는 왜 그런 기분이 들었을까요?
전개	1. 동시를 소개한다. – 동시를 지은이는 누구일까요? – 제목을 읽어볼까요? 2. 동시를 들려준다. 3. 동시를 듣고 난 후에 이야기를 나눈다. – 햇빛이 비치는 날의 기분은 어떤 기분을 표현한 것일까요? – 천둥이 치는 날의 기분은 어떤 기분을 표현한 것일까요? – 비가 내리는 날의 기분은 어떤 기분을 표현한 것일까요? – 오늘 나의 기분을 동시처럼 날씨로 표현

	해 볼까요?
마무리	1. 활동을 평가하고 마무리한다. - 나의 기분을 날씨로 표현하니 어땠나요? - 또 어떤 날씨로 나의 기분을 표현할 수 있을까요?

〈놀이 지원〉

- 유아가 관심 있어 하는 내용으로 상호작용 또는 놀이를 지원한다.
- 자신의 기분을 글 또는 그림으로 표현하려는 유아가 있다면 재료를 준비하여 놀이를 지원한다.

우 리

동 네

우리 동네

높은 산 위에 올라가면
한눈에 보이는 우리 동네

뾰족한 지붕, 알록달록 색깔 지붕
네모난 건물, 높은 건물

친구 집은 알록달록 색깔 지붕
우리 집은 뾰족한 지붕 뒤 건물

주제	우리 동네
활동명	우리 동네 (동시)
활동목표	우리 동네에 관심을 가진다. 동시의 내용을 이해한다.
누리과정 관련요소	사회관계〉사회에 관심가지기〉내가 살고 있는 곳에 대해 궁금한 것을 알아본다. 의사소통〉듣기와 말하기〉자신의 경험, 느낌, 생각을 말한다.
활동자료	동시판(동시의 내용을 적은 것)
도입	1. 우리 동네에 관해 이야기 나눈다. - 내가 사는 곳에 무엇이 있나요? - 건물은 어떻게 생겼나요? - 높은 건물도 있고, 낮은 건물도 있나요? - 어떤 곳과 가까운 곳에 살고 있나요?
전개	1. 동시를 소개한다. - 동시를 지은이는 누구일까요? - 제목을 읽어볼까요? 2. 동시를 들려준다. 3. 동시를 듣고 난 후에 이야기를 나눈다. - 내가 사는 곳과 친구가 사는 집은 가까운 곳인가요? - 우리 원과 가까운 곳에 살고 있나요? 4. 시어를 바꾸어 활동한다. - 우리 집은 뒷부분을 어떻게 바꾸면 좋을까요? - 내가 사는 집 앞에 무엇이 있는지 말해볼까요?

마무리	1. 활동을 평가하고 마무리한다. – 기억에 남는 시어는 무엇인가요? – 우리 동네에 관해 더 알고 싶은 것이 있나요? – 활동하면서 좋았던 점은 무엇인가요?

⟨놀이 지원⟩

– 유아가 관심 있어 하는 내용으로 상호작용 또는 놀이를 지원한다.
– 유아가 활동하며 약도, 지도 등에 관심을 보이면 자료를 준비하여 우리 동네가 어디에 있는지 찾아보고, 약도를 그려 보는 활동을 지원한다.

전통 시장

우리 동네에 있는
정겨움이 가득 담긴 전통시장

전통 시장을 지나가면
맛있는 먹을거리가 한가득

고소하고, 매콤하고, 달콤한 냄새가
전통시장에 가득하고

수많은 사람과 나는
즐거운 발걸음으로 걸어간다

주제	우리 동네
활동명	전통시장 (동시)
활동목표	우리 동네에 있는 전통시장에 관심을 가진다. 동시의 내용을 이해한다.
누리과정 관련요소	사회관계〉사회에 관심가지기〉내가 살고 있는 곳에 대해 궁금한 것을 알아본다. 의사소통〉책과 이야기 즐기기〉동화, 동시에서 말의 재미를 느낀다.
활동자료	동시판(동시의 내용을 적은 것)
도입	1. 전통시장에 가 본 경험에 관해 이야기 나눈다. - 우리 동네에는 전통시장이 있나요? - 전통시장에 가 본 적이 있나요? - 어떤 물건과 음식이 있었나요? - 전통시장에서 먹어 본 음식 중 가장 맛있는 음식은 무엇이었나요? - 전통시장을 가 본 느낌이 어땠나요?
전개	1. 동시를 들려준다. 2. 동시의 제목을 유추한다. - 동시를 듣고 나니 어떤 느낌이 들었나요? - 동시의 제목은 무엇일까요? - 내가 작가라면 어떤 제목으로 지었을 것 같나요? 3. 동시를 소개한다. - 동시를 지은이는 누구일까요?

	- 제목을 읽어볼까요?
	4. 동시를 감상한 후에 느낌에 관해 이야기 나눈다.
	- 동시를 읽고 난 후 어떤 느낌이 들었나요?
마무리	1. 활동을 평가하고 마무리한다.
	- 활동하면서 좋았던 점은 무엇인가요?

〈놀이 지원〉

- 유아가 관심 있어 하는 내용으로 상호작용 또는 놀이를 지원한다.
- 시장 놀이에 관심을 가지면 역할 놀이 영역에 관련 소품 등을 준비하여 준다.
- 소품 등을 유아가 직접 만들기를 원하면 상호작용을 통해 필요한 재료를 미술 영역에 두어 만들어 볼 수 있게 한다.

우리 동네 산책길

우리 동네 산책길
꼬불꼬불 꼬부랑 길

우리 동네 산책길
꽃향기 가득한 꽃길

우리 동네 산책길
영차영차 계단 길

재미있고 신나는
우리 동네 산책길

주제	우리 동네
활동명	우리 동네 산책길 (동시)
활동목표	산책길을 걸어가 본 경험에 관해 말한다. 동시를 다양한 방법으로 읽으며 감상한다.
누리과정 관련요소	의사소통〉듣기와 말하기〉자신의 경험, 느낌, 생각을 말한다. 의사소통〉책과 이야기 즐기기〉동화, 동시에서 말의 재미를 느낀다.
활동자료	동시판(동시의 내용을 적은 것)
도입	1. 실외 활동 시 우리 동네 산책길을 걸어 본 경험을 이야기 나눈다. - 우리 동네 산책길은 어떤가요? - 산책하면서 무엇을 보았나요?
전개	1. 동시를 들려준다. (연 또는 행을 번갈아 가며 읽는다.) 2. 동시의 제목을 유추한다. - 동시를 듣고 나니 어떤 느낌이 들었나요? - 동시의 제목은 무엇일까요? - 내가 작가라면 어떤 제목으로 지었을 것 같나요? 3. 동시를 소개한다. - 동시를 지은이는 누구일까요? - 제목을 읽어볼까요? 4. 동시를 감상한 후에 느낌에 관해 이야기 나눈다.

	- 동시를 읽고 난 후 어떤 느낌이 들었나요? - 내가 경험한 산책길과 동시의 산책길이 비슷한가요? - 같은 점과 다른 점은 무엇인가요?
마무리	1. 활동한 후 느낀 점에 관해 이야기 나누며 활동을 마무리한다.

〈놀이 지원〉

- 유아가 관심 있어 하는 내용으로 상호작용 또는 놀이를 지원한다.
- 산책하며 떨어진 자연물(꽃잎, 나뭇잎)이 있다면 깨끗한 것을 골라서 교실로 가지고 와서 관찰할 수 있게 한다.
- 자연물을 재료로 하여 다양하게 놀이할 수 있게 한다.

즐

거

운

여

름

여름 소리

철썩철썩 철썩
파도의 노랫소리

똑똑 또르르
빗방울 연주 소리

첨벙첨벙 첨벙
아이들의 물장구치는 소리

주제	즐거운 여름
활동명	여름 소리 (동시)
활동목표	동시 감상을 통해 여름에 들을 수 있는 소리를 흉내 낼 수 있다. 여름의 계절적인 특징을 안다.
누리과정 관련요소	의사소통〉듣기와 말하기〉자신의 경험, 느낌, 생각을 말한다. 자연탐구〉탐구 과정 즐기기〉주변세계와 자연에 대해 지속적으로 호기심을 가진다.
활동자료	동시판(동시의 내용을 적은 것)
도입	1. 여름 날씨에 관해 이야기 나눈다. - 여름 날씨는 어떤가요? - 여름에 어떤 곳을 가보았나요?
전개	1. 동시를 들려준다. (연 또는 행을 번갈아 가며 읽는다.) 2. 동시의 제목을 유추한다. - 동시를 듣고 나니 어떤 느낌이 들었나요? - 동시의 제목은 무엇일까요? - 내가 작가라면 어떤 제목으로 지었을 것 같나요? 3. 동시를 소개한다. - 동시를 지은이는 누구일까요? - 제목을 읽어볼까요? 4. 동시를 감상한 후에 느낌에 관해 이야기 나눈다. - 동시를 읽고 난 후 어떤 느낌이 들었나

	요? - 여름에는 또 어떤 소리를 들을 수 있나요? - 파도의 소리, 빗방울 소리, 물장구치는 소리를 바꾸어 볼 수 있나요?
마무리	1. 활동한 후 느낀 점에 관해 이야기 나누며 활동을 마무리한다.

〈놀이 지원〉

- 유아가 관심 있어 하는 내용으로 상호작용 또는 놀이를 지원한다.
- 여름 날씨에 관심을 가진다면 다양한 여름용품을 준비하여 탐색 활동을 지원한다.

노란 해바라기

무더운 여름 예쁘게 피어난
노란 해바라기

향기로운 꽃밭에 큰 키를 자랑하는
노란 해바라기

활짝 핀 동그란 얼굴에 미소 짓는
노란 해바라기

주제	즐거운 여름
활동명	노란 해바라기 (동시)
활동목표	해바라기 꽃에 관심을 가진다. 동시 내용에 관심을 가지며 읽는다.
누리과정 관련요소	자연탐구〉탐구 과정 즐기기〉주변세계와 자연에 대해 지속적으로 호기심을 가진다. 의사소통〉책과 이야기 즐기기〉동화, 동시에서 말의 재미를 느낀다.
활동자료	동시판(동시의 내용을 적은 것), 도화지, 크레파스
도입	1. 해바라기 꽃에 관해 이야기 나눈다. - 해바라기 꽃의 색은 어떤가요? - 해바라기는 꽃은 다른 꽃에 비해 크기가 어떤가요?
전개	1. 동시를 소개한다. - 동시를 지은이는 누구일까요? - 제목을 읽어볼까요? 2. 동시를 읽는다. 3. 동시를 읽고 난 후에 이야기를 나눈다. - 동시를 읽고 난 후에 느낌은 어떤가요? 4. 도화지에 해바라기를 그려 시화로 표현한다. - 꽃의 모양은 어떤가요? - 꽃잎의 모양은 어떤가요? - 어떤 색을 사용해서 색칠해야 할까요? 5. 그림 옆에 동시 내용을 붙이거나 동시를 쓴다.

마무리	1. 활동한 후 느낀 점에 관해 이야기 나누며 활동을 마무리한다. - 활동하면서 좋았던 점은 무엇인가요? - 활동하면서 표현하기 어려웠던 점이 있었나요?

〈놀이 지원〉

- 유아가 관심 있어 하는 내용으로 상호작용 또는 놀이를 지원한다.
- 유아가 그리는 것이 아닌 모자이크 등의 기법에 관심이 있다면, 해바라기를 색종이를 찢어서 표현할 수 있도록 재료를 준비한다.

나무 그늘

숲속 나무 그늘은
무더위를 식혀 주는 그늘

숲속 나무 그늘은
쉼을 주는 그늘

숲속 나무 그늘은
고마운 그늘

숲속 나무 그늘은
우리를 도와주는 고마운 그늘

주제	즐거운 여름
활동명	나무 그늘 (동시)
활동목표	여름날 숲속이나 산에 가본 경험을 말한다. 동시를 감상하며 숲속의 느낌을 떠올린다.
누리과정 관련요소	의사소통〉듣기와 말하기〉자신의 경험, 느낌, 생각을 말한다. 의사소통〉책과 이야기 즐기기〉동화, 동시에 서 말의 재미를 느낀다.
활동자료	동시판(동시의 내용을 적은 것)
도입	1. 숲속을 떠올리며 이야기 나눈다. - 숲속에는 무엇이 있나요? - 나무 그늘에서 쉬어 본 적이 있나요? - 나무 그늘 밑에서 쉴 때 어떤 느낌이 들 었나요?
전개	1. 동시를 소개한다. - 동시를 지은이는 누구일까요? - 제목을 읽어볼까요? 2. 동시를 들려준다. (연 또는 행을 번갈아 가며 읽는다.) 3. 동시를 듣고 난 후에 이야기를 나눈다. - 동시를 듣고 난 후에 느낌은 어떤가요? - 나무 그늘은 우리에게 어떤 도움을 주나 요? - 시에 나온 내용 말고 나무 그늘 하면 떠 오르는 것이 있나요?

	4. 시어를 바꾸어 본다.
	- 쉼을 주는 대신 어떤 시어로 바꾸면 좋을까요?
마무리	1. 활동을 평가하고 마무리한다.
	- 내가 바꾼 시어가 시의 내용과 어울리나요?

〈놀이 지원〉

- 유아가 관심 있어 하는 내용으로 상호작용 또는 놀이를 지원한다.
- 실외 산책 시 동시를 읽어주고, 나무 그늘의 좋은 점을 직접 느껴보며 활동해도 좋다.

교통기관

자전거

씽씽 쌩쌩
내 동생 세발자전거

씽씽 쌩쌩
내 두발자전거

사이좋게 나란히
달려가는 자전거

주제	교통기관
활동명	자전거 (동시)
활동목표	우리가 사용하는 교통수단에 관해 안다. 동시의 내용을 이해하며 감상한다.
누리과정 관련요소	의사소통〉책과 이야기 즐기기〉동화, 동시에 서 말의 재미를 느낀다.
활동자료	동시판(동시의 내용을 적은 것)
도입	1. 자전거 타본 경험을 떠올리며 이야기 나눈다. - 자전거를 타본 적이 있나요? - 어떤 자전거를 타 보았나요?
전개	1. 동시를 들려준다. (연 또는 행을 번갈아 가며 읽는다.) 2. 동시의 제목을 유추한다. - 동시를 듣고 나니 어떤 느낌이 들었나요? - 동시의 제목은 무엇일까요? - 내가 작가라면 어떤 제목으로 지었을 것 같나요? 3. 동시를 소개한다. - 동시를 지은이는 누구일까요? - 제목을 읽어볼까요? 4. 동시를 감상한 후에 느낌에 관해 이야기 나눈다. - 동시를 읽고 난 후 어떤 느낌이 들었나요?

	– 동생과 함께 자전거를 공원에서 타 본 적이 있나요?
	– 동생과 자전거를 탔을 때 어떤 기분이었나요?
마무리	1. 활동한 후 느낀 점에 관해 이야기 나누며 활동을 마무리한다.

〈놀이 지원〉

– 유아가 관심 있어 하는 내용으로 상호작용 또는 놀이를 지원한다.
– 자전거 탈 때의 안전에 관한 내용을 상호작용 하는 것도 좋다.

여러 가지 탈 것

머나먼 곳으로 여행하려면
하늘 높이 나는 비행기

우리 할머니 댁에 가려면
부릉부릉 자동차

아름다운 강을 보려면
물 위를 다니는 유람선

주제	교통기관
활동명	여러 가지 탈 것 (동시)
활동목표	동시를 읽으며 교통수단의 특징을 안다. 여러 가지 탈 것을 그림으로 표현한다.
누리과정 관련요소	의사소통>책과 이야기 즐기기>동화, 동시에서 말의 재미를 느낀다. 예술경험>창의적으로 표현하기>다양한 미술 재료와 도구로 자신의 생각과 느낌을 표현한다.
활동자료	동시판, 도화지, 색종이, 물풀
도입	1. 특정한 장소에 갈 때 이용한 교통수단에 관해 이야기 나눈다. - 여름 방학 때 가 본 장소 중 기억에 남는 장소가 있나요? - 그곳에는 무엇을 타고 갔나요?
전개	1. 동시를 소개한다. - 동시를 지은이는 누구일까요? - 제목을 읽어볼까요? 2. 동시를 들려준다. (연 또는 행을 번갈아 가며 읽는다.) 3. 동시를 듣고 난 후에 이야기를 나눈다. - 동시를 듣고 난 후에 느낌은 어떤가요? 4. 동시 속에 나오는 여러 가지 탈 것 중 내가 가장 많이 타 본 것을 모자이크 기법으로 표현한다. - 비행기, 배, 자동차 중 1가지를 그림으로 그려 볼까요?

	- 색종이를 손으로 찢어 봐요.
	- 그림을 물풀로 바른 후, 색종이를 빈 곳
	이 없게 붙여요.
마무리	1. 활동한 후 느낀 점에 관해 이야기 나누
	며 활동을 마무리한다.

〈놀이 지원〉

- 유아가 관심 있어 하는 내용으로 상호작용 또는
  놀이를 지원한다.
- 자동차, 버스, 비행기 등에 관심이 있다면 모형 놀
  잇감을 준비하여 탐색할 수 있게 한다.
- 바퀴 등 굴러가는 것에 관심이 있다면 여러 높이
  에서 굴려보거나, 매끈한 재질, 울퉁불퉁한 재질
  등 다양한 재질에서 굴려볼 수 있도록 재료를
  준비하여 준다.

우리 원 버스

우리 원 버스는
멀리서도 잘 보이는 노란 버스

우리 원 버스는
안전띠를 매야 출발하는 버스

우리 원 버스는
안전 약속을 잘 지키는 친구들이 탄 버스

신나고 즐거운 마음으로 달려가는
우리 원 버스

주제	교통기관
활동명	우리 원 버스 (동시)
활동목표	우리 원 버스를 안전하게 이용하는 방법을 안다. 동시를 감상하며 교통안전에 관해 말한다.
누리과정 관련요소	의사소통〉듣기와 말하기〉자신의 경험, 느낌, 생각을 말한다. 의사소통〉책과 이야기 즐기기〉동화, 동시에서 말의 재미를 느낀다.
활동자료	동시판(동시의 내용을 적은 것)
도입	1. 우리 원 버스를 타 본 경험에 관해 이야기 나눈다. - 우리 원 버스를 타 보았나요? - 버스를 타고 제일 먼저 한 것은 무엇인가요?
전개	1. 동시를 소개한다. - 동시를 지은이는 누구일까요? - 제목을 읽어볼까요? 2. 동시를 들려준다. (연 또는 행을 번갈아 가며 읽는다.) 3. 동시를 듣고 난 후에 이야기를 나눈다. - 동시를 듣고 난 후에 느낌은 어떤가요? 4. 안전하게 버스를 이용하기 위해 해야 할 약속을 정한다. - 어떤 약속을 잘 지키면 안전하게 버스를 이용할 수 있을까요?

| | 예〉 안전띠 꼭 하기, 창문 열고 얼굴이나 손 내밀지 않기, 함께 타는 선생님의 말씀을 잘 듣고 행동하기 |
| 마무리 | 1. 활동을 평가하고 마무리한다.
- 오늘 이야기 나누며 정한 약속을 잘 지킬 수 있나요? |

〈놀이 지원〉

- 유아가 관심 있어 하는 내용으로 상호작용 또는 놀이를 지원한다.
- 교통안전에 관해 관심을 보이면 교실 한쪽 공간을 건널목을 만들어 활동할 수 있게 한다.

세계여러나라 우리나라와

추석

예쁜 색동 한복 곱게 차려입고
어른께 인사드리는 추석

맛있는 송편 고소한 부침개가
한 상 가득 차려진 추석

보름달처럼 내 기분도 환해진
내 마음이 즐거운 추석

주제	우리나라와 세계 여러 나라
활동명	추석 (동시)
활동목표	동시를 읽으며 추석에 대해 안다.
	추석에 관해 말한다.
누리과정 관련요소	의사소통〉듣기와 말하기〉자신의 경험, 느낌, 생각을 말한다.
	의사소통〉책과 이야기 즐기기〉동화, 동시에서 말의 재미를 느낀다.
활동자료	동시판(동시의 내용을 적은 것)
도입	1. 추석에 먹는 음식에 관해 이야기 나눈다.
	- 추석에는 어떤 음식을 즐겨 먹나요?
	- 송편은 맛이 어때요?
	- 어떤 송편을 좋아하나요?
	2. 추석에 무엇을 하는지 이야기 나눈다.
	- 추석에 어디에 가나요?
	- 추석에 어떤 옷을 입나요?
	- 추석에 송편을 누구와 함께 만들어보았나요?
	- 추석에 어떤 놀이를 하나요?
전개	1. 동시를 소개한다.
	- 동시를 지은이는 누구일까요?
	- 제목을 읽어볼까요?
	2. 동시를 읽는다.
	(연 또는 행을 번갈아 가며 읽는다.)

	3. 동시를 읽고 난 후에 이야기를 나눈다.
	- 동시를 읽고 난 후에 느낌은 어떤가요?
마무리	1. 동시를 다시 한번 읽은 후, 활동을 마무리한다.
	- 동시를 다시 한번 소리 내어 읽어요.

〈놀이 지원〉

- 동시와 연계하여 송편 만드는 요리 활동을 할 수 있다.
- 한복을 입고 등원하여 전통 놀이를 경험하게 한다.

다르다는 것

우린 모두 달라요
같은 나라에 살고 있어도
피부색이 다를 수 있어요

우린 모두 달라요
같은 나라에 살고 있어도
좋아하는 음식이 다를 수 있어요

우리 모두 다르고
나와도 다르지만
소중히 여겨 주세요

주제	우리나라와 세계 여러 나라
활동명	다르다는 것 (동시)
활동목표	다양한 문화에 관심을 가진다. 동시의 내용을 이해하며 감상한다.
누리과정 관련요소	사회관계〉사회에 관심 가지기〉다양한 문화에 관심을 가진다. 의사소통〉책과 이야기 즐기기〉동화, 동시에서 말의 재미를 느낀다.
활동자료	동시판(동시의 내용을 적은 것)
도입	1. 우리나라에 사는 사람들을 떠올리며 이야기 나눈다. - 우리나라에는 어떤 사람들이 살고 있나요? - 다른 나라에서 온 사람들을 본 적이 있나요? - 우리 동네에 사는 이웃 중에 다른 나라에서 온 사람이 있나요? - 우리와 모습이 비슷했나요? 달랐나요?
전개	1. 동시를 소개한다. - 동시를 지은이는 누구일까요? - 제목을 읽어볼까요? 2. 동시를 읽는다. (연 또는 행을 번갈아 가며 읽는다.) 3. 동시를 읽고 난 후에 이야기를 나눈다. - 동시를 읽고 난 후에 느낌은 어떤가요? 4. 다른 나라의 문화를 소중히 여기기로 약속한다.

	– 우리나라 사람들의 문화는 소중해요.
	– 그렇다면 다른 나라에서 온 사람들이 좋아하는 것을 어떻게 여겨야 할까요?
마무리	1. 동시를 다시 한번 읽은 후, 활동을 마무리한다.
	– 동시를 다시 한번 소리 내어 읽어요.

〈놀이 지원〉

– 동시를 통해 음식에 관심을 보인다면, 전통음식과 다른 나라의 음식은 어떠한지 사진 등을 준비하여 비교할 수 있게 한다.
– 다른 나라의 음식을 먹어 본 경험에 관해 상호 작용할 수 있도록 지원한다.
– 다른 나라의 음식 중에서 유아 스스로 만들 수 있는 음식을 선정하여 요리 활동과 연계한다.

까치

쨱쨱쨱쨱 쨱쨱
아침을 알리는 까치 노랫소리

내가 늦잠 잘까
이른 아침 나의 단잠을 깨우는 소리

반가운 손님 오시려나
쨱쨱쨱쨱 쨱쨱
흥겨운 까치 노랫소리

주제	우리나라와 세계 여러 나라
활동명	까치 (동시)
활동목표	동시의 내용을 이해한다. 우리나라에서 까치가 어떤 의미를 가졌는지 안다.
누리과정 관련요소	의사소통〉책과 이야기 즐기기〉동화, 동시에서 말의 재미를 느낀다. 사회관계〉사회에 관심 가지기〉우리나라에 대해 자부심을 가진다.
활동자료	동시판(동시의 내용을 적은 것), 까치 소리 음원
도입	1. 까치 소리를 듣는다. - 어떤 소리가 들렸는지 소리 내어 표현해 보세요. 2. 까치에 관해 이야기 나눈다. - 까치를 본 적이 있나요? - 까치는 어떤 색깔인가요?
전개	1. 동시를 소개한다. - 동시를 지은이는 누구일까요? - 제목을 읽어볼까요? 2. 동시를 읽는다. 3. 동시를 읽고 난 후에 이야기를 나눈다. - 동시를 읽고 난 후에 느낌은 어떤가요? 4. 우리나라에서는 까치를 어떻게 생각했는지 이야기 나눈다. - 우리나라 사람들이 까치를 좋아한 이유

	는 무엇인가요?
	- 까치가 울면 어떤 소식이 전해진다고 했나요?
마무리	1. 동시를 다시 한번 읽은 후, 활동을 마무리한다.
	- 동시를 다시 한번 소리 내어 읽어요.

〈놀이 지원〉

- 동시를 통해 새에 관심을 보인다며, 다양한 종류의 녹음된 새 소리를 자유롭게 들을 수 있게 지원하고, 새 사진도 준비하여 준다.
- 까치와 다른 새를 비교할 수 있게 한다.
- 까치를 통해 우리나라에 관해 더 알고 싶어 하면 상호작용을 통해 궁금증을 해결할 수 있는 자료를 준비하여 준다.

알
록
달
록

가
을

가을 풍경

푸른 하늘이
바다를 쏙 닮은 가을

빨간 고추잠자리가
하늘을 힘차게 나는 가을

어느새 나무들이
가을옷을 입고 뽐내는 가을

주제	알록달록 가을
활동명	가을 풍경 (동시)
활동목표	가을의 풍경을 감상하며 말한다. 가을의 계절적인 특징에 관심을 가진다.
누리과정 관련요소	의사소통〉책과 이야기 즐기기〉동화, 동시에 서 말의 재미를 느낀다. 자연탐구〉자연과 더불어 살기〉날씨와 계절 의 변화를 생활과 관련짓는다.
활동자료	동시판(동시의 내용을 적은 것), 쓰기 도구
도입	1. 가을에 관해 이야기 나눈다. – 가을에 볼 수 있는 것은 무엇인가요? – 가을 색은 어떤가요?
전개	1. 동시를 들려준다. (연 또는 행을 번갈아 가며 읽는다.) 2. 동시의 제목을 유추한다. – 동시를 듣고 나니 어떤 느낌이 들었나 요? – 동시의 제목은 무엇일까요? – 내가 작가라면 어떤 제목으로 지었을 것 같나요? 3. 동시를 소개한다. – 동시를 지은이는 누구일까요? – 제목을 읽어볼까요? 4. 동시를 감상한 후에 느낌에 관해 이야기 나눈다. – 동시를 읽고 난 후 어떤 느낌이 들었나 요?

	– 내가 작가라면 어떤 제목을 붙였을까요?
	5. 가을을 주제로 짧은 글짓기를 한다.
	6. 내가 지은 글을 소개한다.
마무리	1. 활동을 평가하고 마무리한다.
	– 활동하면서 좋았던 점은 무엇인가요?
	– 활동하면서 어려운 점이 있었나요?

〈놀이 지원〉

– 가을의 계절적 특징에 관심을 보이면 교실 공간에 단풍잎, 은행잎을 활용하여 가을 길을 만들어 준다.
  (단풍잎, 은행잎 위에 비닐을 깔아서 흩어지지 않도록 교실 바닥에 고정하고. 유아들이 그 위를 밟고 지나가게 한다.)
– 교실에 가지고 온 자연물을 자유롭게 탐색하며 상호작용한다.

가을 산

저 멀리 보이는 붉은 산
저 멀리 보이는 가을 산

빨갛게 노랗게
아름답게 수놓은 가을 산

주제	알록달록 가을
활동명	가을 산 (동시)
활동목표	동시를 감상하며 자신의 생각을 말한다. 바른 자세로 동시를 감상한다.
누리과정 관련요소	의사소통〉듣기와 말하기〉자신의 경험, 느낌, 생각을 말한다. 의사소통〉듣기와 말하기〉바른 태도로 듣고 말한다.
활동자료	동시판(동시의 내용을 적은 것)
도입	1. 가을 산이라는 단어를 들려주고 연상되 는 것을 이야기 나눈다. - 가을 산에 올라가 본 적이 있나요? - 가을 산을 멀리서 본 적이 있나요? - 가을 산에서 무엇을 보았나요? - 어떤 단어가 떠오르나요?
전개	1. 동시를 들려준다. (연 또는 행을 번갈아 가며 읽는다.) 2. 동시의 제목을 유추한다. - 동시를 듣고 나니 어떤 느낌이 들었나 요? - 동시의 제목은 무엇일까요? - 내가 작가라면 어떤 제목으로 지었을 것 같나요? 3. 동시를 소개한다. - 동시를 지은이는 누구일까요? - 제목을 읽어볼까요?

	4. 동시를 감상한 후에 느낌에 관해 이야기 나눈다.
	- 동시를 읽고 난 후 어떤 느낌이 들었나요?
마무리	1. 동시를 다시 한번 읽은 후, 활동을 마무리한다.
	- 동시를 다시 한번 소리 내어 읽어요.

〈놀이 지원〉

- 계절과 관련된 활동을 하게 되면, 체험하는 것이 가장 좋기에 날씨가 좋은 날을 선택하여 산책이나 견학 등을 통해 가을의 풍경을 경험하게 한다.
- 자연물에 관심을 보이면 과학 또는 미술 활동과 연계하여 다양하게 탐색하고, 관찰하고, 표현할 수 있게 한다.

귀여운 청설모

청설모 한 마리 주위를 살피다
재빠르게 잣나무 위로 올라가
잣 껍데기 벗기니
내 머리 위로 눈처럼 떨어진다

주제	알록달록 가을
활동명	귀여운 청설모 (동시)
활동목표	다양한 생각을 말한다. 생각을 글로 표현한다.
누리과정 관련요소	의사소통〉듣기와 말하기〉자신의 경험, 느낌, 생각을 말한다. 의사소통〉읽기와 쓰기에 관심 가지기〉자신 의 생각을 글자와 비슷한 형태로 표현한다.
활동자료	동시판(동시의 내용을 적은 것), 쓰기 도구
도입	1. 청설모에 관해 이야기 나눈다. - 청설모를 본 적이 있나요? - 어떤 곳에서 보았나요? - 청설모의 모습은 어떤가요? - 청설모는 무엇과 닮았나요? - 청설모의 꼬리는 어떤가요?
전개	1. 동시를 소개한다. - 동시를 지은이는 누구일까요? - 제목을 읽어볼까요? 2. 동시를 읽는다. 3. 동시를 읽고 난 후에 이야기를 나눈다. - 동시를 읽고 난 후에 느낌은 어떤가요? - 잣을 먹고 있는 청설모의 모습이 어떤가요? 4. 숲에서 만난 동물에 관해 짧은 글짓기를 한다. - 숲에서 어떤 동물을 본 적이 있나요? - 숲속에서 어떤 동물의 소리가 들리나요?

	– 숲속에서 만난 동물은 어떤 동물이었나요?
	5. 글짓기 내용을 소개한다.
마무리	1. 활동을 평가하고 마무리한다.
	– 활동하면서 좋았던 점은 무엇인가요?
	– 쓰기가 어려운 글자가 있었나요?
	– 스스로 글을 지을 수 있었나요?

〈놀이 지원〉

– 유아가 숲속 동물들이 먹는 먹이에 관해 관심이 있으면 어떤 먹이를 먹는지 알아본다.
이러한 활동을 통해 숲속 동물들이 먹는 먹이 중에서 밤, 도토리 등을 사람이 주워오게 되면 숲속 동물들의 먹이가 없어진다는 것을 알고, 이러한 것을 함부로 주워오지 않도록 한다.
– 꼭 필요한 경우에는 관찰만 하고, 그 자리에 그대로 두고 오기로 약속을 하는 것도 좋다.

자연과 우리생활

고마운 나무

내가 그림 그리는 종이를 주는 나무
무더운 여름 그늘을 주는 나무

맛있는 열매를 주는 나무
아름다운 풍경을 선물하는 나무

우리에게 늘 좋은 선물을 주는
고마운 나무

주제	자연과 우리 생활
활동명	고마운 나무 (동시)
활동목표	나무의 이로움에 관해 말한다. 나무를 주제로 동시를 짓는다.
누리과정 관련요소	의사소통〉듣기와 말하기〉자신의 경험, 느낌, 생각을 말한다. 의사소통〉읽기와 쓰기에 관심 가지기〉자신의 생각을 글자와 비슷한 형태로 표현한다.
활동자료	동시판(동시의 내용을 적은 것), 쓰기 도구
도입	1. 나무의 이로움에 관해 이야기 나눈다. - 나무는 왜 필요할까요? - 나무는 우리에게 무엇을 주나요? - 나무가 많으면 어떤 점이 좋을까요?
전개	1. 동시를 소개한다. - 동시를 지은이는 누구일까요? - 제목을 읽어볼까요? 2. 동시를 읽는다. 3. 동시를 읽고 난 후에 이야기를 나눈다. - 동시를 읽고 난 후에 느낌은 어떤가요? 4. 나무를 주제로 하여 동시를 짓는다. - 나무하면 떠오르는 것은 무엇인가요? - 나무의 모습은 어떤가요? - 나무의 색은 어떤가요? - 나무가 많은 곳은 어디인가요? 5. 지은 동시를 소개한다.
마무리	1. 활동을 평가하고 마무리한다.

	– 활동하면서 좋았던 점은 무엇인가요? – 쓰기가 어려운 글자가 있었나요? – 스스로 동시를 지을 수 있었나요? – 동시를 지어 본 느낌이 어떤가요? – 지은 동시를 다시 한번 읽어보세요.

〈놀이 지원〉

– 나무에 관심을 가지게 되었다면, 놀잇감 중에서 나무로 만든 것이 있는지 찾아보고, 그 물건을 탐색할 수 있도록 지원한다.
– 산책 시 실제 나무의 결을 만져보며, 탐색하는 활동을 할 수 있게 하고, 상호작용한다.

비 내리는 날

목마른 꽃 위에
목마른 나무 위에
촉촉하게 내리는 비

갈라진 땅 위에
바싹 마른 모래 위에
촉촉하게 내리는 비

목마른 새에게
목마른 숲속 동물에게
소중하고 고마운 비

주제	자연과 우리 생활
활동명	비 내리는 날 (동시)
활동목표	생각을 자유롭게 표현하며 말한다. 동시를 즐거운 마음으로 감상한다.
누리과정 관련요소	의사소통〉듣기와 말하기〉자신의 경험, 느낌, 생각을 말한다. 의사소통〉책과 이야기 즐기기〉동화, 동시에서 말의 재미를 느낀다.
활동자료	동시판(동시의 내용을 적은 것)
도입	1. 비 내리는 날에 관해 이야기 나눈다. - 비 내리는 날 기분은 어떤가요? - 비가 내리면 좋아하는 것은 무엇인가요? - 만약 비가 오지 않는다면 어떻게 될까요?
전개	1. 동시를 소개한다. - 동시를 지은이는 누구일까요? - 제목을 읽어볼까요? 2. 동시를 읽는다. (연 또는 행을 번갈아 가며 읽는다.) 3. 동시를 읽고 난 후에 이야기를 나눈다. - 동시를 읽고 난 후에 느낌은 어떤가요? 4. 시어의 일부분을 바꾸는 활동을 한다. - 비가 오면 누가 도움을 받나요? 5. 바꾼 시어를 넣어 동시를 읽는다. - 시어를 바꾸어 읽으니 어떤 느낌이 드나

	요?
마무리	1. 활동을 평가하고 마무리한다.
	– 활동하면서 좋았던 점은 무엇인가요?
	– 시어를 바꾸기가 어렵지 않았나요?
	– 동시를 읽을 때 어려운 시어가 있었나
	요?

〈놀이 지원〉

– 유아가 관심 있어 하는 내용으로 상호작용 또는
  놀이를 지원한다.
– 비에 관심을 가지게 되었다면, 다양한 빗소리를 감
  상할 수 있도록 녹음된 소리를 준비한다.

북극곰

우리 때문에
북극곰이 사라진대요

우리의 편리함 때문에
북극에 얼음이 얼지 않는대요

먹이를 잡으러 갈 수 없어서
북극곰이 사라진대요

우리가 가까운 거리는 걷고
에어컨을 조금만 틀면
북극곰은 울지 않아도 된대요

주제	자연과 우리 생활
활동명	북극곰 (동시)
활동목표	북극곰 동시를 읽으며 자연 보호의 중요성을 안다.
누리과정 관련요소	의사소통〉책과 이야기 즐기기〉동화, 동시에서 말의 재미를 느낀다. 자연탐구〉자연과 더불어 살기〉생명과 자연환경을 소중히 여긴다.
활동자료	동시판(동시의 내용을 적은 것)
도입	1. 북극곰에 관해 이야기 나눈다. - 북극곰에 관한 이야기를 들어 본 적이 있나요? - 북극곰이 왜 사라지고 있는지 알고 있나요?
전개	1. 동시를 소개한다. - 동시를 지은이는 누구일까요? - 제목을 읽어볼까요? 2. 동시를 읽는다. (연 또는 행을 번갈아 가며 읽는다.) 3. 동시를 읽고 난 후에 이야기를 나눈다. - 동시를 읽고 난 후에 느낌은 어떤가요? - 북극곰이 왜 사라지고 있다고 했나요? 4. 자연을 보호하는 방법에 관해 이야기 나누고, 실천한다. - 가까운 장소에 갈 때는 어떻게 하면 좋을까요?

	– 너무 덥지 않은 날은 에어컨 대신 무엇을 사용하면 좋을까요?
마무리	1. 오늘의 약속을 잘 지키기로 다짐하며 활동을 마무리한다.
	– 꼭 실천하기로 약속해요.

〈놀이 지원〉

– 유아가 자연 보호에 관심을 가지게 되었다면, 우리 교실에서 실천할 수 있는 것이 무엇인지 상호작용한다.
– 작은 것부터 실천할 수 있는 약속을 정했다면 실천하도록 한다.

신나는 겨울

흰 눈

조용히 소리 없는 흰 눈
하얀 나무를 만든 흰 눈
흰 발자국을 만든 흰 눈
온통 하얀색으로 물들인 흰 눈

주제	신나는 겨울
활동명	흰 눈 (동시)
활동목표	흰 눈 동시를 감상하며 느낀 점을 말한다. 겨울의 계절적인 특징을 안다.
누리과정 관련요소	의사소통〉듣기와 말하기〉자신의 경험, 느낌, 생각을 말한다. 자연탐구〉탐구과정 즐기기〉주변 세계와 자연에 대해 지속적으로 호기심을 가진다.
활동자료	동시판(동시의 내용을 적은 것)
도입	1. 겨울 날씨에 관해 이야기 나눈다. - 겨울은 날씨가 어때요? - 겨울의 눈이 내리는 소리를 들어본 적이 있나요? - 눈이 내릴 때의 기분은 어떤가요?
전개	1. 동시를 소개한다. - 동시를 지은이는 누구일까요? - 제목을 읽어볼까요? 2. 동시를 읽는다. 3. 동시를 읽고 난 후에 이야기를 나눈다. - 동시를 읽고 난 후에 느낌은 어떤가요? - 겨울의 눈은 어떻게 내리나요? - 눈은 소리가 날까요? - 눈이 많이 쌓인 곳을 밟으면 어떤 모양이 생기나요? - 발자국의 색은 어떤가요?

마무리	1. 동시를 다시 한번 읽은 후, 활동을 마무리한다.
	– 동시를 다시 한번 소리 내어 읽어요.

〈놀이 지원〉

– 자연스럽게 오늘 입고 온 옷차림에 관해 이야기 나누며 겨울 날씨에 관해 이야기 나누기하는 것도 좋다.

겨울 풍경

하얀 눈사람을 만들고
신난 아이들은 기쁨의 환호성을 지르고
겨울이 만들어 준 놀이동산에서
신나게 눈썰매를 탄다

주제	신나는 겨울
활동명	겨울 풍경 (동시)
활동목표	동시의 내용을 이해한다. 동시의 느낌을 살려 그림으로 표현한다.
누리과정 관련요소	의사소통〉듣기와 말하기〉자신의 경험, 느낌, 생각을 말한다. 예술경험〉창의적으로 표현하기〉다양한 미술 재료와 도구로 자신의 생각과 느낌을 표현 한다.
활동자료	동시판(동시의 내용을 적은 것), 도화지, 색 연필, 파스텔
도입	1. 겨울에 관해 이야기 나눈다. - 겨울의 풍경은 어때요? - 겨울의 느낌은 어때요? - 눈이 오는 날 무엇을 해 보았나요? - 눈이 오는 날 기분이 어때요? - 눈이 오는 날 무엇을 하고 싶은가요?
전개	1. 동시를 소개한다. - 동시를 지은이는 누구일까요? - 제목을 읽어볼까요? 2. 동시를 읽는다. 3. 동시를 읽고 난 후에 이야기를 나눈다. - 동시를 읽고 난 후에 느낌은 어떤가요? - 동시에서 가장 기억에 남는 시어가 있나 요? 4. 동시의 내용을 그림으로 표현한다.

	– 무엇을 그림으로 표현하면 될까요?
	예〉 눈썰매 타는 아이 모습, 눈사람을 만드
	는 모습
	5. 빈 곳에 시의 내용을 쓴다.
마무리	1. 활동을 평가하고 마무리한다.
	– 표현하기 어려운 부분이 있었나요?

〈놀이 지원〉

– 눈이 오고 난 이후에 실외 활동을 한다.
  (눈 만져보기, 눈 밟아보기, 눈에 그림 그리기,
  눈에 글씨 쓰기 등) 유아가 하고 싶어 하는 활동을
  하게 한다.
– 에즈라 잭 키츠(1995). 눈 오는 날. 비룡소의
  동화를 활용하여도 좋다.

붕어빵

우리 집 금붕어를 닮은
예쁜 붕어빵

붉은 팥이 가득
달콤한 붕어빵

추운 겨울
내가 제일 좋아하는
맛있는 붕어빵

주제	신나는 겨울
활동명	붕어빵 (동시)
활동목표	맛있는 붕어빵을 떠올리며 동시를 감상한다. 짧은 글짓기로 생각을 표현한다.
누리과정 관련요소	의사소통〉책과 이야기 즐기기〉동화, 동시에서 말의 재미를 느낀다. 의사소통〉읽기와 쓰기에 관심가지기〉자신의 생각을 글자와 비슷한 형태로 표현한다.
활동자료	동시판(동시의 내용을 적은 것), 쓰기 도구
도입	1. 겨울 음식에 관해 이야기 나눈다. - 겨울에 먹는 음식은 무엇이 있나요? - 겨울에 어떤 음식을 먹어 보았나요? - 군고구마, 붕어빵, 호빵, 팥죽을 먹어 본 적이 있나요? - 어떤 맛이었나요?
전개	1. 동시를 소개한다. - 동시를 지은이는 누구일까요? - 제목을 읽어볼까요? 2. 동시를 읽는다. (연 또는 행을 번갈아 가며 읽는다.) 3. 동시를 읽고 난 후에 이야기를 나눈다. - 동시를 읽고 난 후에 느낌은 어떤가요? - 동시에서 가장 기억에 남는 시어가 있나요? 4. 겨울에 먹는 음식으로 짧은 글짓기를 한

	다.
	–군고구마로 짧은 글짓기를 해볼까요?
	5. 지은 글을 소개한다.
	– 어떤 표현이 좋았나요?
	– 재미있는 표현은 무엇인가요?
마무리	1. 동시를 다시 한번 읽은 후, 활동을 마무리한다.
	– 동시를 다시 한번 소리 내어 읽어요.

〈놀이 지원〉

– 겨울에 먹는 다양한 음식에 관심이 있다면 겨울 음식을 주제로 하여 상호작용한다.
– 교실에서 먹을 수 있는 겨울 음식을 간식으로 준비하여 맛을 보며, 상호작용을 한다.
– 먹어 본 겨울 간식으로 짧은 글짓기 활동을 해도 좋다.

생활 도구

거울

나와 쏙 닮은 내가
거울 속에 있다

내가 미소 지으면
같이 미소 짓는 거울

내가 웃으면
같이 웃어 주는 거울

내 마음을 보여주는 거울
내 마음을 알 수 있는 거울

주제	생활 도구
활동명	거울 (동시)
활동목표	동시의 내용을 이해한다.
	동시를 읽고 난 후 느낌에 관해 말한다.
누리과정 관련요소	의사소통〉책과 이야기 즐기기〉동화, 동시에서 말의 재미를 느낀다.
	의사소통〉듣기와 말하기〉자신의 경험, 느낌, 생각을 말한다.
활동자료	동시판(동시의 내용을 적은 것), 거울
도입	1. 퀴즈를 낸다.
	- 이것은 무엇일까요?
	- 네모난 것도 있고 동그란 모양도 있어요.
	- 아침에 세수하고 나서 봐요.
	- 내가 옷을 예쁘게 입었는지 볼 수 있어요.
전개	1. 동시를 소개한다.
	- 동시를 지은이는 누구일까요?
	- 제목을 읽어볼까요?
	2. 동시를 읽는다.
	(연 또는 행을 번갈아 가며 읽는다.)
	3. 동시를 읽고 난 후에 이야기를 나눈다.
	- 동시를 읽고 난 후에 느낌은 어떤가요?
	- 동시에서 가장 기억에 남는 시어가 있나요?

	4. 거울을 보며 나의 모습을 비춘다.
	- 거울로 비추어 본 나의 모습은 어떤가요?
	- 나의 표정은 어떤가요?
	- 거울을 보며 웃어 볼까요?
	- 거울 속에 나는 어떤 모습으로 보이나요?
마무리	1. 동시를 다시 한번 읽은 후, 활동을 마무리한다.
	- 동시를 다시 한번 소리 내어 읽어요.

〈놀이 지원〉

- 안전 거울을 준비하여 다양하게 탐색하도록 한다.
- 이때 친구 얼굴에 거울을 비추어 눈이 부시게 하는 등의 행동은 하지 않게 약속한다.
- 얼굴을 비출 수 있는 다양한 재료를 준비하여 탐색한다.
  (호일, 안전 돋보기 등)

요술쟁이 가위

가위는
요술쟁이

종이를 싹둑싹둑
작은 종이로 만들고

색종이를 쓱싹쓱싹
예쁜 꽃을 만들고

천을 싹둑싹둑
예쁜 내 옷 만드는
요술쟁이 가위

주제	생활 도구
활동명	요술쟁이 가위 (동시)
활동목표	도구에 관심을 가진다. 동시 감상을 하며 내용을 이해한다.
누리과정 관련요소	자연탐구>생활 속에서 탐구하기>도구와 기계에 대해 관심을 가진다. 의사소통>책과 이야기 즐기기>동화, 동시에서 말의 재미를 느낀다.
활동자료	동시판(동시의 내용을 적은 것), 가위
도입	1. 퀴즈를 낸다. - 이것은 무엇일까요? - 손잡이가 달려 있어요. - 이것으로 만들 수 있는 것이 아주 많아요. - 이것을 가지고 절대 장난치면 안 돼요. - 미술 시간에 사용하기도 해요. - 이것으로 무언가를 자를 수 있어요.
전개	1. 동시를 소개한다. - 동시를 지은이는 누구일까요? - 제목을 읽어볼까요? 2. 동시를 읽는다. (연 또는 행을 번갈아 가며 읽는다.) 3. 동시를 읽고 난 후에 이야기를 나눈다. - 동시를 읽고 난 후에 느낌은 어떤가요? - 동시에서 가장 기억에 남는 시어가 있나요? 4. 가위로 할 수 있는 것에 관해 이야기

	나눈다.
	- 가위로 할 수 있는 것은 무엇인가요?
	- 가위로 무엇을 해 보았나요?
마무리	1. 동시를 다시 한번 읽은 후, 활동을 마무리한다.
	- 동시를 다시 한번 소리 내어 읽어요.

〈놀이 지원〉

- 다양한 종이의 재질을 가위를 사용할 때와 사용하지 않을 때를 비교하며 잘라본다.
- 가위를 사용했을 때의 결과물과 손으로 찢었을 때의 결과물을 비교하며 놀이한다.

수 료 · 졸 업

우리들의 추억

공원에 친구와 손잡고 산책하며
예쁜 꽃들과 나비를 본 추억

잔디밭에서 신나게 뛰어놀며
맛있는 음식을 나누어 먹은 추억

즐거운 노래를 부르고
그림책을 함께 읽은 추억

친구들과 함께했던 우리 선생님
우리의 마음속에 소중한 추억

주제	수료 · 졸업
활동명	우리들의 추억 (동시)
활동목표	시어를 자유롭게 바꾸어 표현한다. 동시를 소리 내어 읽는다.
누리과정 관련요소	의사소통〉듣기와 말하기〉자신의 경험, 느낌, 생각을 말한다. 의사소통〉책과 이야기 즐기기〉동화, 동시에 서 말의 재미를 느낀다.
활동자료	동시판(동시의 내용을 적은 것)
도입	1. 1년 동안 함께 한 추억에 관해 이야기 나눈다. - 우리 반에서 함께 한 친구와 선생님과 했던 것 중에서 가장 기억에 남는 것은 무 엇인가요? - 왜 가장 기억에 남았나요?
전개	1. 동시를 소개한다. - 동시를 지은이는 누구일까요? - 제목을 읽어볼까요? 2. 동시를 읽는다. (연 또는 행을 번갈아 가며 읽는다.) 3. 동시를 읽고 난 후에 이야기를 나눈다. - 동시를 읽고 난 후에 느낌은 어떤가요? 4. 추억과 관련된 내용을 나에게 맞추어 시 어를 바꾸어 활동한다. 예〉 즐거운 노래를 부르고 그림책을 함께

	읽은 추억 대신에 친구와 소풍 가고 졸업 여행 갔던 추억 등으로 바꾼다.
	5. 시어를 바꾸어 동시를 읽는다.
마무리	1. 활동을 평가하고 마무리한다.
	– 활동하면서 좋았던 점은 무엇인가요?
	– 시어를 바꾸기가 어렵지 않았나요?

〈놀이 지원〉

– 1년 동안 함께 한 추억 사진을 벽면에 게시한다.
– 유아마다 좋았던 기억이 각자 다를 것이므로 가장 좋았던 활동 위주로 동시와 연계하여 활동할 수 있게 한다.

초등학교에 가요

키가 컸어요
생각이 자랐어요

초등학교에 가도
난 무엇이든 할 수 있어요

더 멋진 내가 되어
난 잘할 수 있어요

주제	수료 · 졸업
활동명	초등학교에 가요 (동시)
활동목표	초등학교에 갔을 때의 나의 다짐을 말할 수 있다. 동시를 감상한다.
누리과정 관련요소	의사소통〉듣기와 말하기〉자신의 경험, 느낌, 생각을 말한다. 의사소통〉책과 이야기 즐기기〉동화, 동시에서 말의 재미를 느낀다.
활동자료	동시판(동시의 내용을 적은 것)
도입	1. 나에 관해 이야기 나눈다. - 몇 살이 되었나요? - 키와 몸무게가 어떻게 변했나요? - 처음에 할 수 없었지만 잘할 수 있게 된 것은 무엇인가요?
전개	1. 동시를 소개한다. - 동시를 지은이는 누구일까요? - 제목을 읽어볼까요? 2. 동시를 읽는다. (연 또는 행을 번갈아 가며 읽는다.) 3. 동시를 읽고 난 후에 이야기를 나눈다. - 동시를 읽고 난 후에 느낌은 어떤가요? 4. 초등학교에 가서의 나의 다짐을 이야기 나눈다. - 초등학교에 가면 더 잘하고 싶은 것은

	무엇인가요?
	- 새로운 친구와 어떻게 지내고 싶은가요?
마무리	1. 동시를 다시 한번 읽은 후, 활동을 마무리한다.
	- 동시를 다시 한번 소리 내어 읽어요.

〈놀이 지원〉

- 초등학교 견학 및 교실 견학을 한다.
- 초등학교에 가기 전 스스로 할 수 있는 것에 대해 생각해보며, 이야기 나눈다.
- 초등학교 교실 공간처럼 지금 사용하는 교실을 바꾸어 주어도 좋다.